KB096673

불면 뛰어! 불뛰의
엉뚱 발랄 코믹 수영툰

불면 뛰어! 불뛰의
엉뚱 발랄 코믹 수영툰

발 행 | 2024년 8월 22일
저 자 | 김지유
펴낸이 | 한건희
펴낸곳 | 주식회사 부크크
출판사등록 | 2014.07.15.(제2014-16호)
주 소 | 서울특별시 금천구 가산디지털1로 119 SK트윈타워 A동 305호
전 화 | 1670-8316
이메일 | info@bookk.co.kr

ISBN | 979-11-419-0171-4

www.bookk.co.kr

불면 뛰어!
불뛰의
엉뚱 발랄
코믹 수영툰

김지유

목　　차

머리말

물이 너무 무서워 대중탕도 못 다니던 찌질이가
바로 그 이유 때문에 수영을 배웠습니다.
이미 30대였지만 다시 아이가 되어 놀다 보니
대회 MVP도 한번 받아 보았네요.

미, 미스테리???

뭘 해도 꼴찌 of 꼴찌 of 꼴찌였던 체육시간,
"팔이 븅신이냐?" 꾸중과 놀림을 듣고
제 발에 걸려 제가 넘어지던 시절의 악몽을
저 멀리 안드로메다로 보내버린 수영.
즐거움 가득했던 나날의 기록을 엮었습니다.

불뛰는 누구?

한창 수영에 재미를 붙이던 시절
저의 별명입니다.
'불면 뛰어'의 줄임말이죠.
아프네, 숨차네, 골골거리다가도
강사가 호루라기만 불면
파블로프의 개처럼 반사적으로
자동 스탓 다이빙한다고
같은 반 수영 친구들이 붙여 줬어요.

2011.07.13.

도전, 2000!

저녁 강습시간, 웜업을 마치고
200M 자유형 돌기를 시작했다.

한두 바퀴 돌고나니
자연히 뛰는 순서도 바뀌며

앞쪽의 정체현상도 풀려
헤엄칠 만한 상태가 되어가고 있었다.

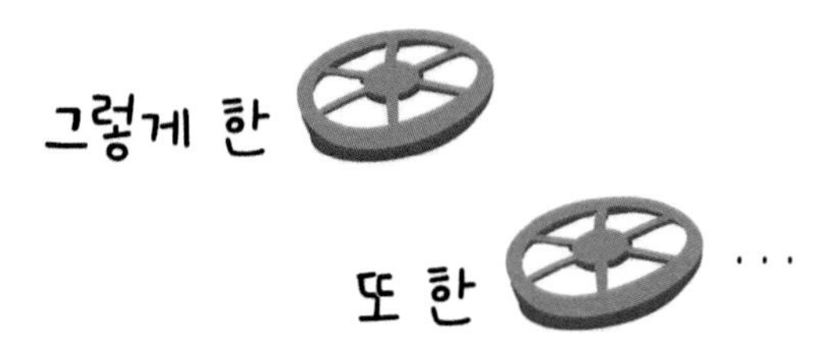

강사님의 [이제 그만~~]에
시계를 돌아보니
어느덧 7시 50분
울 회원님들은
지쳐있을 때가 젤 이뻐!
낄낄낄~
꽃미남

그런데 . . .

. . . 뭐지?

폭풍우 치는 태평양 한가운데서

방사능 오염된 물컹 해파리가

넙적다리에 감기는 듯한

이 . . . 더러운 기분은?

SD7(성동7시반)!
고작 1600 밖에 돌지 못한 거냐?

SD9은 2000 돌았다던데!

연령대나 인원수의 문제일까?
아님, 처음에 정체가 심해서 이렇게 됐나?

2%도 아니고 20%나 부족하다니 . . .

원인이 무엇이었든간에
다른 반보다 20% 부족했다는 것이 왠지
못내 아쉬운 저녁이었다.

2011.08.08.

고급 오리발의 비밀

날리님

살짝
부럽군 . . .

오리발은

역시

고급 오리발이 . . .

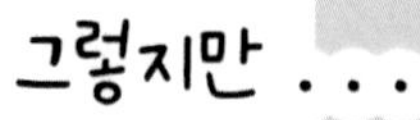
그렇지만 . . .

갸우뚱
??
으음 . . .

잠깐! 오른쪽도 벗어 보세요.
!!

그는 오른쪽 오리발을 마저 벗었다.

그랬다. 알고 보니 L 표식의 정체는
LEFT가 아니라 LARGE였던 것.

LEFT 왼발에 신을 것 (X)

LARGE 발 큰 놈 신을 것 (O)

하 하 하 하 하

하 하 하 하 하

하 하 하 하 하

하 하 하 하 하

하 하 하 하 하

하 하 하 하 하

얼마 뒤...
까르륵~~
어머, 바다용
선크림도 있어요?

그럼요!
바닷가에선
바다용 선크림을
발라야죠.

저 . . .
저기요 ~
저는요 ~
몸에 바르는
바디용 이거든요 !
• • •
아!
그러셨어요?
SPF
50+
바디용
오, 나는
선크림을 욱하게 만든 사나이라오.

2011.08.09.

시체 놀이

자유수영 때 사람이 많지 않기에

B.C.T.의 일환으로

물 속에 잠시 누워 보았다.

B.C.T. (Buoyancy Control Trainning)

부력 제어 훈련? (그런 말 없음 말구 ~)

사실은 시체 놀이 . . .

물 밖으로 나오자
옆 레인 아주머니가 울먹이며
화를 벌컥 내셨다.

정말 죄송해요, 아주머니 ㅠ ㅠ ;;;

2011.08.10.

별 명

수영 좀 한다는 사람이면

한둘씩 동물 별명이 있다.

수영은 대충 해도

·

·

·

내게도 동물 별명이 있다.

어우,

안 내켜 . . .

피차일반이셔 . . .

15Km 쯤 수영하고 나온 듯,

유독 심한 수경 자국 때문 . . .

팬더야!
느네집 여기서
45분 걸린다.

.

.

.

더 잔인한 사실 하나 . . .
집에 와도 계속 팬더라는 것

흑 ~ 삐뚤어질테얏!

2011.08.11.

영 약

마이클 펠프스가 즐겨 찾는

유연성 증진 드링크

알렉산더 포포프가 보약 대신 먹는

근육력 증폭제

이안 서프의 생일날 특식

부력 증강단

박태환이 챙겨 먹는

폐활량 증가 캡슐

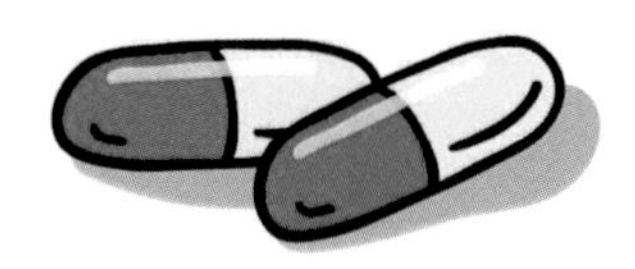

린지 뱅코가 어릴 때

달여 먹고 효과 본

북극해 만년 수영초

·

·

·

그

런

거

없

어

서

그 냥

밥

먹

어

요

그저 밥이 보약이죠.

2011.08.13.

하조대 못 가다

갑자기
식중독에 걸려
하조대 바다수영 대회에
못 갔다.

첫 도전이라
더욱 아쉬웠다.

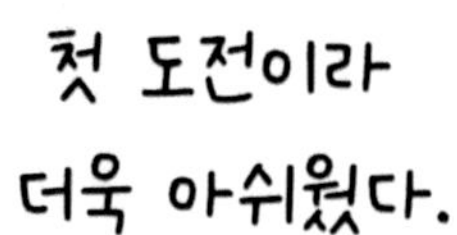

2011.08.14.

불균형

얼마나 똑바로 가는지 알고 싶어
짐짓 전방 주시 없이
헤엄쳐 보았다.

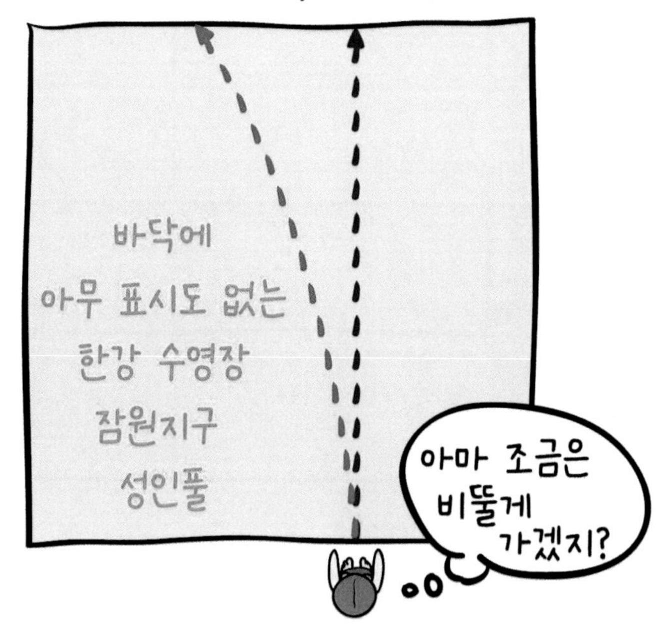

결과는 완전히 삼천포행

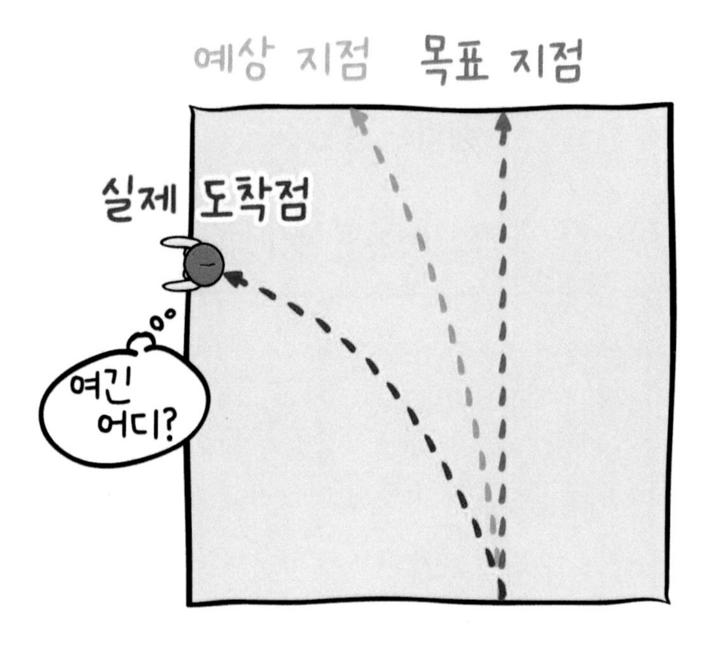

처음 본 풍경이 펼쳐졌다.

나는야
지느러미 짝짝
물고기 . . .

불균형이 이렇게나 심할 줄이야!

2011.08.17.

새로운 시도

배영 100M, 마의 1분 벽을 깬 건
고등학생이었다.

1935년, '하던 대로'를 벗어나 -
사이드턴 대신 플립턴을 시도한
아돌프 키에퍼

얼마나 멋진가 . . .

베이컨 씨가 그랬지.

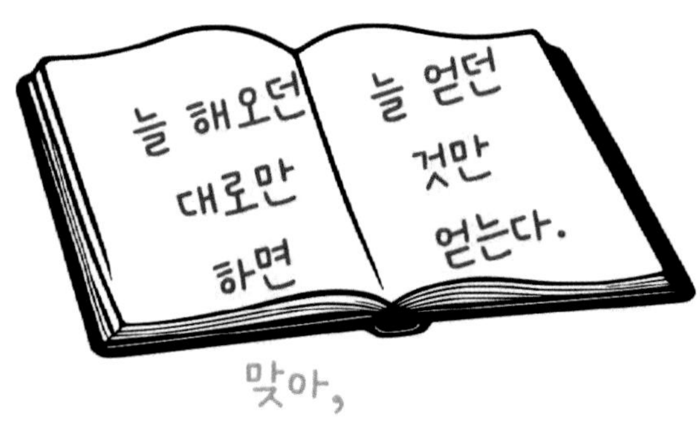

맞아,

나도 새로운 것을 시도해 보겠어!

그래서 오늘 아침
새로운 시도로 . . .

2011.10.13.

수영 하고 키가 자랐다

그런데 희한하게도 더 짧아 보인다.

뭐 . . . 상관 없다.

수영하면서 자란 것이
어디 몸의 키뿐이랴 . . .

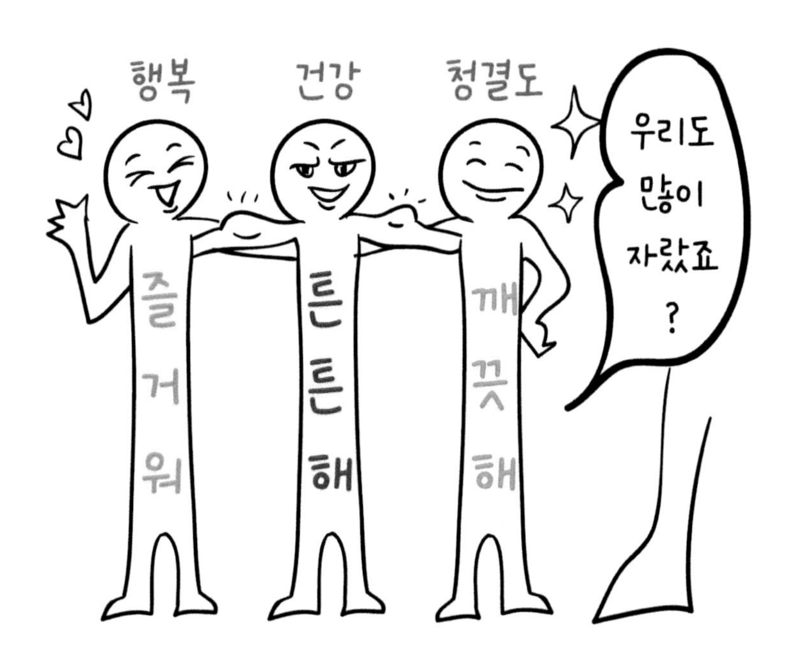

그리고 많은 것들 가운데
특히 괄목할 만한
성장을 이루어낸
금메달리스트를 꼽으라면

.

.

운동하려고 먹는 겁니다! 진짜로!

2011.10.14.

5부 수영복(1)
— 프로패셔널

5부 탄탄이를 새로 장만했다.

프, 프로?
레알?
응
프로
레슬러
딱 어울린댔지?

뜨헉!
뭣이라?
-풉!
5부 맞아?
6부 아냐?
깔맞춤 촌스러~
똥배 완전 두드러져
야~ 야~
듣겠다~

뼈는 추려 주겠다...

입는 순간
프로패셔널 레슬러가 되는
요술 수영복 ~ 나의 5부 탄탄이

2011.10.15.

5부 수영복(2)
— 적대감

같은 디자인, 반대 색상의
5부 수영복을 입은

'모르는' 여자분과 마주쳤다.

뭐랄까...

무도회에서 비교 당하는 느낌?

그리고, 그 뒤에 찾아든

까닭 모를 경쟁심

단지 옷 색깔 때문에
적대감이 생길 수도 있을까,
생각해 보게 만든 R사의 5부 수영복

2011.10.20.

팔젓기 연습

신호를 기다리며

팔젓기 연습을 해보았다.

그때, 갑자기
택시가 와서 멈춰 섰다.

아 ~ 신호 왜

·

·

·

안 바뀌냐고 ~

2011.11.02.

고기 놓아주듯

힘들게, 힘들게
오래 헤엄치고 나서야 비로소
한 마리 고기 놓아주듯

물 속에 나를 놓아주게 되는
그런 날이 있다.

2012.02.26.

사라진 것들

자유수영 후
머리 말리는 사이,

양말이
어디론가
사라져버렸다.

양말에 발이 달렸나?

.

.

.

응?

사물함 열렸네!
우린 이제 자유...

주인님, 아디오스~

물건을 늘 제자리에 두는데도
그동안 수영을 하며 도둑맞거나
잃어버린 물건들이 적지 않다.

수경 도둑맞고도 속상했지만
특히 딱 한번 쓴 트리트먼트
도둑맞았을 땐 화가 좀 났다.

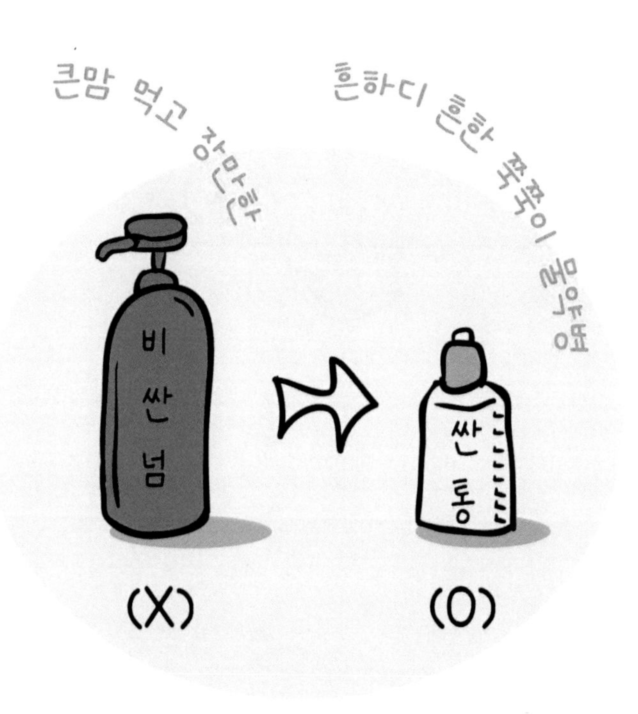

그후로 비싼 샤워용품은 아예
후진 용기에 덜어 갖고 다닌다.

그래놓고 자꾸 헷갈린다.

툭하면
린스인 줄 알고 바디워시를...

2012.03.12.

물과의 전투

보무도

당당하구나 . . .

아놔~
덤벼랏!
얜 뭐야?

싸웠노라

오늘도 역시나

질 걸 뻔히 알면서도
어째서 매번
당신과 싸우게 되는지
알 수 없습니다.
H_2O,
You Win!
다시는 덤비지
않을 것이며~
블라블라블라~

물과 싸우지 맙시다.

2012.03.03.

첫날의 풍경

매월 강습 첫날,

자꾸 초보반에 눈길이 가는 건

어설픈 복장의 신입들 때문.

나는 강습에 걸맞지 않은
신입들의 복장이 좋다.

귀엽고 순순하고 사랑스럽다.

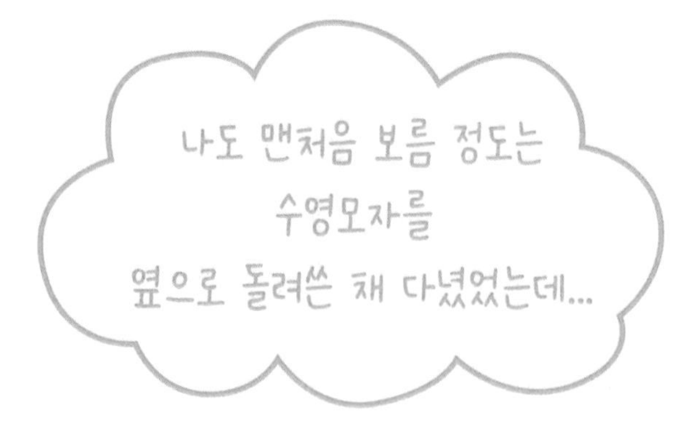

매월 강습 첫날, 신입들은
나를 추억 속으로 데려다 준다.

2012.03.06.

수영 카페

고급메뉴

환상접영라떼 ----- 10000000000
명품배영모카 ----- 10000000000
접신평영쥬스 ----- 10000000000
임페리얼크롤티 ----- 10000000000

일반메뉴

그냥접영라떼 ---------- 10000
대충배영모카 ---------- 10000
밋밋평영쥬스 ---------- 10000
투어리즘크롤티 ---------- 10000

※ 저희 업소는 싸구려 허부덕 음료는
취급하지 않습니다. 고객님, 메롱~!

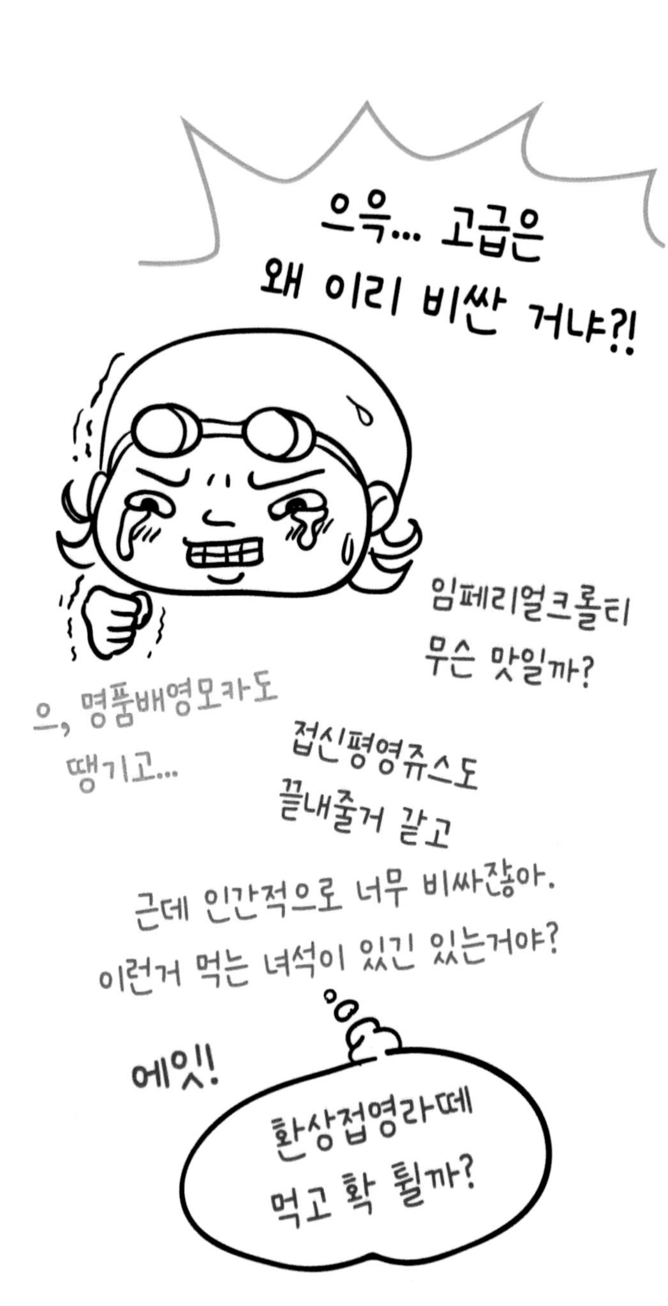
으윽... 고급은
왜 이리 비싼 거냐?!
임페리얼크롤티
무슨 맛일까?
으, 명품배영모카도
땡기고...
접신평영쥬스도
끝내줄거 같고
근데 인간적으로 너무 비싸잖아.
이런거 먹는 녀석이 있긴 있는거야?
에잇!
환상접영라떼
먹고 확 튈까?

마시기는커녕

.

.

.

.

.

.

.

.

.

헉!

고르지도 못하고 깼어 . . .

2012.03.08.

지나친 킥 연습

통.통.통.통...

통.통.통.통...

이.악.물!

강습후

헤드업 발차기

일곱바퀴(350m)

그 후, 얼굴이 시뻘겋게 타올라
오래도록 가라앉질 않았다.

이 증상이 지속된 것은

약 22.5시간 정도?

대략 다음날 수영강습

시작 시간까지였다.

2012.03.11.

즐거움 3종 세트

가벼운 산행을 즐기고 나서

수영과 샤워를 즐긴 다음

맛난 음식 잔뜩 즐기기

모처럼 이런 날을 보내면

에너지 게이지가 풀로 찬다.

더도 말고 덜도 말고
오늘만 같아라.

2012.03.10.

수영인들의 결혼

산악인들이 산에서 결혼식을
한번 더 하기도 하듯이

수영인들도 수영장에서 한번
더 결혼식을 올린다면 . . .

신랑 신부, 잘 들으세요 ~
결혼도 수영과 마찬가지로
무엇보다 균형이 중요하며 . . .

저항을 최소화하고 . . .

신랑은 무호흡 대쉬에 힘쓰고
물타는 기술을 갈고 닦도록 . . .

영력은 노력에 비례하듯
전투력은 매력에 비례함을
염두에 두어 매력증진에 힘을 . . .

무엇보다
신부는 신랑 주변의
수질을 상시 살펴 관리하여 . . .

블라블라블라~

오늘 백년가약을 맺은 두 분,
축하합니다! 오래오래 행복하세요!

2012.03.11.

아침형 인간

큰맘 먹고

아침 수영을 끊은 적이 있다.

그때 . . . 나는

<아침형 인간>이었다.

하지만, 그건

아침에만

·

·

·

아침 이후엔 그냥 계속

<조는 인간>이었다.

생활 패턴
다 망가졌어.

일찍 일
낮에 조는 닭이다.

아흑, 괴로운 아침!

결국 얼마 못 가
도로 저녁수영으로 옮겼다.

아침수영 하는 분들,

정말이지

.

.

.

존경합니다!

2012.03.12.

선배가 준 화두

수영을 갓 배우기 시작했을 때,
배영선수 출신 친구와의 만남.

물에 몸을 맡겨!
긴 말 하기 귀찮다.
임팩트 있게 팍!

뭐가 글쿠나야?
적어두고 술이나 먹자 . . .

오래전 그 문구를 엊그제 발견하고 . . .

뭐여?

뭐에
뭐를 맡겨?

흠냐 ....

참으로
알쏭달쏭한 말일세.

들었던 기억이 있음에도,
놀라울 정도의 새로움에
몸서리가 쳐져!

십년 후에도 이렇게 생소할까?

물.에.몸.을.맡.겨.

물.에.몸.을.맡.겨.

물.에.몸.을.맡.겨.

물.에.몸.을.맡.겨.

여전히 아무것도 깨닫지 못한
무지한 자신에 새삼 놀라며
맨처음 화두를
다시 꺼내 붙잡는 불뛰였다.

2012.03.14.

다이어트 시합

우승자는 상금(45,000원)으로 수영팬티 사서, 회식때 머리에 쓰고 춤추면서 사진찍기! 어때?

수영장 회식 2차에서 . . . 난데없이
뜻밖의 시합에 휘말렸다.

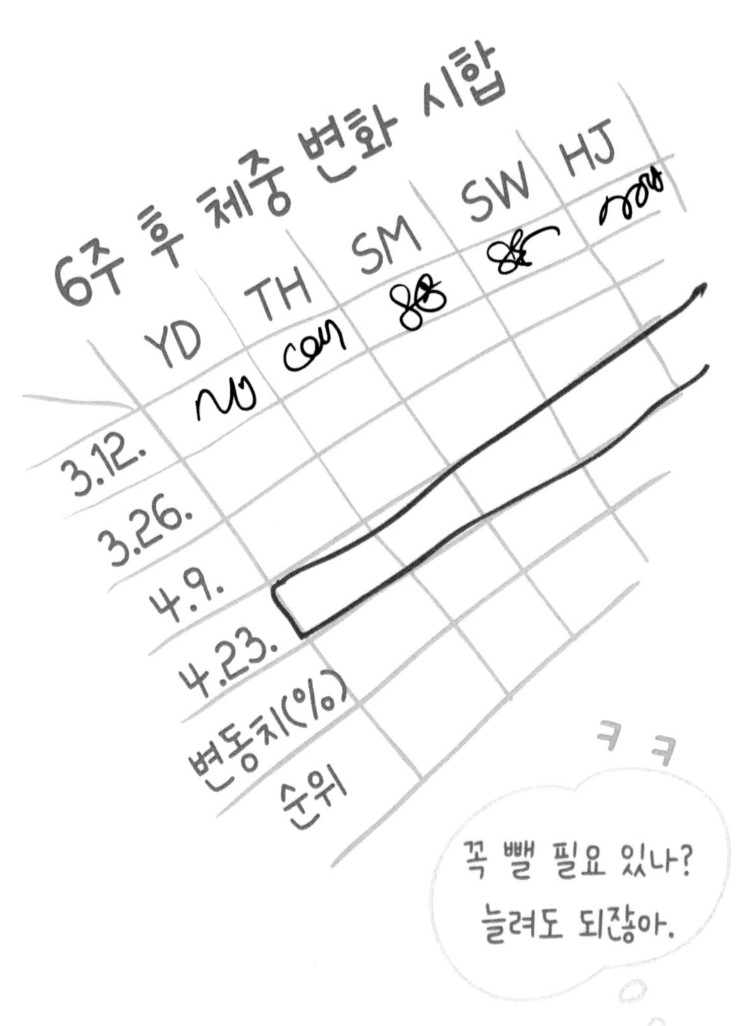

6주간의 몸무게 변동비(%)가
가장 큰 사람이 이기는 시합

술김에 하게 되었다 해도,
하나의 목표를 갖고
여럿이 함께하는 경기이니만큼

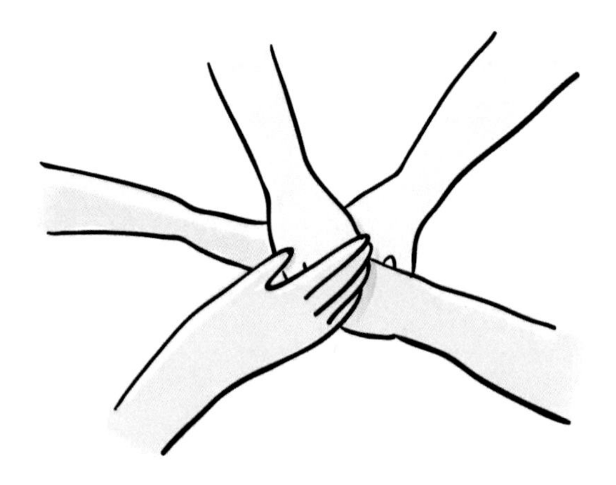

모두 우승자가 됩시다!

라며 건배했지만 . . .

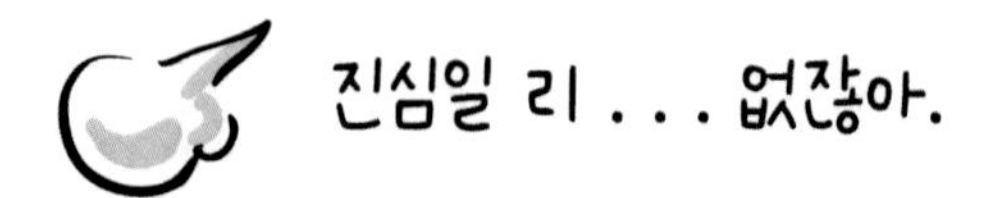
진심일 리 . . . 없잖아.

역시 우승팬티는 내가 갖겠어!
손. 대. 지. 마.

그나저나

·

·

·

왜 벌써 연습하고 있는 거냐!

2012.03.13.

노출 아이러니

강습후 휴식 시간,

갑자기 눈에 들어온 막내강사님

습식수건을 2초간 허리에 둘렀다가 풀었다.

방금 . . . 뭐였지?!

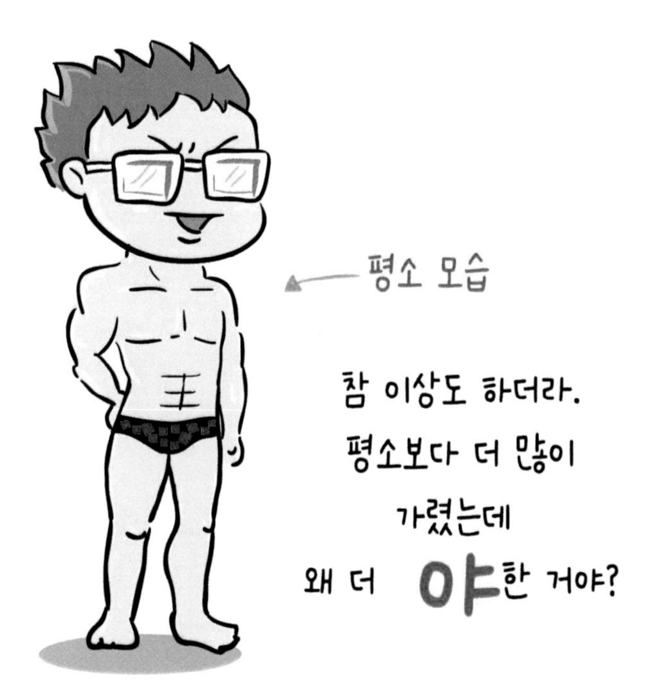

참 이상도 하더라.
평소보다 더 많이
가렸는데
왜 더 야한 거야?

오늘은 왜 얼굴이 빨갛게 되신 거죠? 오늘도 발차기 7 바퀴?
폭로전문지 [WhyYou]의 마음가 기자
아뇨. 막내쌤을 우연히 봤는데요.
뭐…꼭, 몸 좋구 스타일 있는 쌤이라서 그런 건 아니구요~
아웅, 저두 잘 모르겠어요.
왠지 넘 야하더라구용.

새삼 느끼게 되었다.

가릴수록 더 야할 수 있는

.

.

.

노출의 아이러니

그나저나, 막내쌤!

수건은 왜 둘렀던 거죠?

ㅋㅋㅋ

2012.03.16.

난민이 되다

작년 어느 달은 담임 없이

이 강사 저 강사한테 강습 동냥 받던

[고아 수영]을 하더니

요번에는 고향에 오!물난리가
나서 옆 동네를 표류하게 되었다.
이것은, 이른바 [난민 수영]!

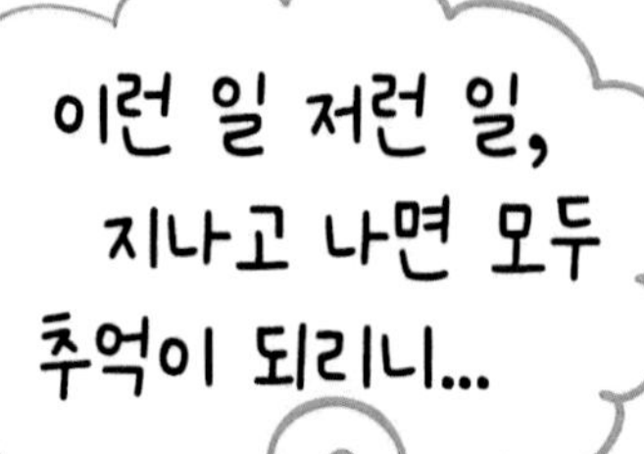

흐음…

그저, 어서 공사가 끝나
고향 물에서 헤엄칠 날을 기다릴 뿐.

그런데, 이러다
설마…

[망명 수영]
하는 건 아니겠지?

불현듯, 알 수 없는 미래?

2012.03.18.

수력과 영력

수력이 곧 . . . 영력?

수력(水歷)만으로
영력(泳力)을
어림할 수 있을까?

10년이면 박사,
20년은 도사지 뭐!
안그래?

부끄럽구요
...

그니깐 난
무조건 [상급]...

기록은 빠르지만,
[초급]이겠죠?

영력이 수력에 정비례한다면

위의 아주머니는 박태환급...!!

성별
근성
키
나이
손발의 크기
선천적 어류 증후군
훈련량
성능 좋은 레어템ㅅㅅ
물에 대한 감각
텃세에 대한 빅엿
그녀의 시선
폐활량
메달에 대한 집착
또, 그밖에, 뭐, 기타 등등, 엔쑈온 . . .
읏샤!
뿡이다!
우와! 이 모든 걸 다 무시할만큼 수력이란 것이 대단한 건가요?

영력을 가늠하는 지표가 있다면

여러모로 많은 도움이 될듯하다.

일본은 영력 검정 기준이 있던데,

일본에 산다면 몇급 인증 받을지

한번... 살펴 볼까나?

(2012년 즈음엔 아무리 찾아도 우리나라 수영검정능력 기준을 찾을 수가 없어서 일본 기준을 링크했었습니다. 지금은, 생겼죠.)

2012.03.25.

잃어버린 십오 분

자유수영 종료를 15분 남기고

레인을 독차지하게 되었는데...

갑자기 출수하라는 것이었다.
자유수영 끝났습니다.
엥? 오십분까지 아니었나?
원래 종료시각
나가세요!
내가 착각한건가?
새벽까지 . . . 너무 달렸군.

아무래도 이상해서
샤워 후, 카운터에 문의했더니

뒤집어 엎을 수도 없고

어린 나비의

잃어버린 시간은 어디로?

2012.03.27.

수영돼지 삼형제

뼛속 깊이 썰렁하지만
언젠가 꼭 한번 생각날 이야기

수영 돼지 삼형제,
수영장을 지었네.

맏형은 모래를 쌓아서,

둘째는 진흙을 이겨서,

막내는 구덩이를 파서.

맏형 돼지, 모래 수영장에
물 채우려 하자
수영장은 모래사장 되어 사라졌네.

둘째 돼지, 진흙 수영장에서
접영 한바퀴 돌자
수영장은 곤죽 되어 사라졌네.

막내네 구덩이 수영장에 삼형제가
모였네. 셋이서 IM200을 해도
사라지지 않는 멋진 수영장!

하 하 하 하 하 하 하
하 하 하 하 하 하 하
하 하 하 하 하 하 하
하 하 하 하 하 하 하
하 하 하 하 하 하 하
하 하 하 하 하 하 하

이미 흙탕인데
날이 저물도록 신나서 이러고 있음.

수영 돼지 삼형제가
흙탕에서 놀고 있는 것을 본

향년 90세 백원조 할머니께서
말씀하셨네.

내 수영장을
무료로 빌려줄테니,

날마다
IM200 백세트씩,
10년간 계약 어떤가?

느이들 젊음이
아까워서 그려~

천년 만년 수영할 것 같지?
돈생 후딱 간다~

우리는 순진한 아기돼지들 . . .
콜!
찬성!
계약 체결!
수영밖에 모르지.
자, 그럼... 형제들이여!
이제 마음껏 수영하라!

석달 뒤
접
배
평
자
접
배
평
자
원조 할매
돼지 국밥
국물 맛이
끝내준다면서?
어우~
안 먹어봤음
말을 말어~
외국 관광단까지?
나, 이거 머크러
미쿠게서 와써효!
원조 할매만의
비법이 있다던데?
100세때
공개한다더군.

한참을 기다려 국밥을 맛본 불뛰,

넌 뭔데 갑자기
등장하는 거냐?

흠...
평범해 보이는데...?

수영일기 외전을 짓기로 결심하네.

아! 혀를 전율시키는
감동의 칸타타

결코 억지로
우려낸 것이 아냐,
이 국물의 맛은!

저절로 우러난, 뭐랄까 . . .
굳이 표현하자면,

자발적 열정의 맛!?

원조 할매 돼지 국밥은 특히
국물이, 국물이 . . . 끝내준다네.

2012.03.29.

내게 저녁수영은

2012.03.29.

봄이 오고 있다

겨우내 진 빠지는 기침을 토하며

다리를 질질 끌고 다녔다.

수영도 쇼핀 끼고 뒤에서 쉬엄쉬엄 . . .

몸의 고통은 마음마저
울적하고 비참하게 만들었다.

대체 왜 이런 고통이 찾아온 걸까?

숏핀 끼고 뒤에서 쉬엄쉬엄 했지만

그나마 수영이라도 하지 않았다면

.

.

.

정말 견디기 힘들었을 것이다.

침몰해 버릴 것만 같던 날들

쪼매난 우주먼지

물 속의 명상

잘 이겨내고 있어!

.

.

.

수영이

나에게

용기와 위안을

주었다.

다가오는
눈부신 생명의 계절,
나는 다시
스프링처럼 박차고 일어날 것이다.

스프링, 봄, 샘물 . . .
나를 둘러싼 아름다움 속에

나의 기쁨은 꽃 폭탄처럼

·

·

·

팡! 팡!

폭발할 것이다.

봄이

·

·

·

오고

있다.

날짜 모음

동호회 구호

한때 몸 담았던 동호회의

수영이 제일 좋고

약간은 닭살 돋는 구호에 ㅋㅋ

수영에 죽고 살고

불뛰 표 일러스트를 더해

수영을 사랑하는

단체 티셔츠를 맞춰 입기도 했지.

이제는 아련한 추억이 되었네 . . .

작가의 말

~수영 중독~

돌이켜 보니 한 4년 동안은 제대로 미쳐
356일, 명절에도 빼놓지 않고 수영을 했었네요.
이 책을 집필하고 나서
퍼뜩 생각나 옛 블로그를 뒤졌더니
초창기에 글로 썼던 일기들이 조금 남아 있군요.
심지어 소설 초안도 발견했습니다.
제목이 <되찾은 기억, 물찬별의 소공녀> ㅋㅋ.
기회가 되면 만화로 엮어보리라 꿈꾸며
서툰 툰을 보아 주신 독자들의
행복과 안녕을 기원합니다.

불뛰에서 물범이 된
김지유 올림

부록(?) : 되찾은 기억, 물찬별의 소공녀 소개

어둠의 지배자 낄라 꼬르깍(Killar Corrqqak)에게 삶의 터전을 빼앗기고 일가족의 처참한 몰살 장면을 목도한 시민들은 저항군을 만들어 봉기했으나, 16년에 걸친 대전쟁 속에 저항군에게 남은 것은 상처와 패배감뿐이었다.

물찬별의 가장 지독한 2% 가량의 황무지로 내몰린 이들은 척박한 환경과 부족한 영양 때문에 몸의 일부에 염증이나 기형이 생겨나기도 했다. 그러나 결코 희망을 버릴 수는 없는 일.

저항군은 미래를 기약하며 물찬별과 흡사한 조건의 행성을 탐색해, 표면을 덮은 물의 양이 비교적 많은 '지구'라는 푸른 별을 택해서, 은하열차에 각자의 아이들을 태워 눈물로 떠나보냈던 것이다.

여기, 은하열차 998호를 타고 오랫동안 여행하여 지구별에 도착한 한 소녀. 소녀의 달팽이관 속에 아주 작은 캡슐로 압축되어 있던 기억이 수락산 기차바위의 경사도에 반응하여 마치 봉숭아 씨방 터지듯 되살아나는데 . . .

기차바위를 밧줄 하나에 의지해 내려온 소녀가 자기도 모르게 중얼거린다.

"나는 . . . 물본(Moorrbon), 물찬별에서 온 소공녀."

그녀의 머릿속에서 기억의 퍼즐 조각이 맞춰진다. 그리고 평화와 아름다움을 사랑하는 물찬족을 말살하려는 저 악당의 거대한 음모의 전말이 파노라마처럼 펼쳐진다.

'그래, 장난이 아니었어. 지리산에 놀러 갔을 때 내 머리를 물 속에 처박고 숨을 못 쉬게 했던 그 오빠란 녀석은 사실은 낄라 꼬르깍의 수하였던 거야! 단 1~2 분만에 나의 뇌와 신경에 물 공포 유발제를 투여해서 평생 물을 무서워하고 물가에도 가지 못하도록 조종했던 거야.'

. . .